O NASCIMENTO DE JESUS

NA GALILEIA HAVIA UMA MULHER MUITO ESPECIAL, SEU NOME ERA MARIA. ELA ERA NOIVA DO CARPINTEIRO JOSÉ E UMA JOVEM MUITO BOA E OBEDIENTE A DEUS.

CERTO DIA, O ANJO GABRIEL APARECEU E LHE DISSE QUE ELA GERARIA O FILHO DE DEUS. SEM ENTENDER O QUE ESTAVA ACONTECENDO, MARIA PERGUNTOU COMO ISSO SERIA POSSÍVEL, JÁ QUE NÃO ERA CASADA.

O ANJO LHE EXPLICOU QUE O ESPÍRITO SANTO DESCERIA SOBRE ELA, PARA ELA NÃO SE PREOCUPAR, E INFORMOU QUE O FILHO DO ALTÍSSIMO SE CHAMARIA JESUS.

EM SONHO, O ANJO TAMBÉM VISITOU JOSÉ PARA QUE ELE NÃO DEIXASSE MARIA SOZINHA E ACEITASSE SER O PAI DO MENINO JESUS.

APÓS A VISITA DO ANJO, JOSÉ ENCHEU-SE DE CORAGEM E ACEITOU A MISSÃO DE CUIDAR DO FILHO DE DEUS.

MARIA FICOU MUITO CONTENTE COM A NOTÍCIA E FOI PARA JUDÁ VISITAR SUA PRIMA ISABEL, QUE TAMBÉM ESTAVA GRÁVIDA. AO OUVIR A VOZ DE MARIA, O BEBÊ DE ISABEL SE ALEGROU MUITO EM SUA BARRIGA. NESSE MOMENTO, ISABEL SE ENCHEU DE FELICIDADE E ENTENDEU QUE MARIA GERAVA O SALVADOR.

MARIA FICOU MUITO EMOCIONADA E LOUVOU AO SENHOR, POIS ERA APENAS UMA HUMILDE SERVA, MAS DEUS, EM SUA MISERICÓRDIA, CONCEDEU A ELA A MISSÃO DE TRAZER AO MUNDO O FILHO DELE.

CERTO DIA, O IMPERADOR CÉSAR AUGUSTO DECRETOU QUE TODOS OS MORADORES DAQUELA REGIÃO DEVERIAM SE ALISTAR EM SUA CIDADE DE NASCIMENTO. ENTÃO, JOSÉ E MARIA SAÍRAM DE NAZARÉ E FORAM ATÉ BELÉM, NA JUDEIA.

CHEGANDO A BELÉM, PROCURARAM EM DIVERSAS ESTALAGENS UM QUARTO PARA SE ABRIGAREM, PORÉM, TODAS ESTAVAM CHEIAS, E ELES NÃO CONSEGUIRAM SE HOSPEDAR.

COMO JÁ ESTAVA TARDE, UMA DAS ESTALAGENS CEDEU O ESTÁBULO PARA QUE ELES PUDESSEM PASSAR AQUELA NOITE. AO ENTRAR LÁ, MARIA COMEÇOU A SENTIR AS DORES DO PARTO E DEU À LUZ O MENINO JESUS.

APÓS O NASCIMENTO, ELA O ENROLOU EM PANOS QUE ESTAVAM POR ALI E O DEITOU EM UMA MANJEDOURA.

ALGUNS PASTORES ESTAVAM NO CAMPO CUIDANDO DE SEUS REBANHOS QUANDO UM ANJO OS VISITOU PARA AVISAR QUE O SALVADOR HAVIA NASCIDO, E QUE O MENINO ESTARIA ENROLADO EM PANOS SIMPLES, DEITADO EM UMA MANJEDOURA.

NO MESMO INSTANTE, APARECERAM ANJOS LOUVANDO A DEUS. OS PASTORES FORAM ENTÃO PARA BELÉM E ACHARAM O MENINO. ELES ANUNCIARAM QUE JESUS HAVIA NASCIDO, E TODOS QUE ESCUTARAM FICARAM MARAVILHADOS COM A NOTÍCIA.

ALGUNS SÁBIOS DO ORIENTE FORAM ATÉ JERUSALÉM, POIS VIRAM UMA ESTRELA NO CÉU, UM AVISO DE QUE O MENINO JESUS, REI DOS JUDEUS, HAVIA NASCIDO.

A ESTRELA APARECEU NOVAMENTE E OS GUIOU ATÉ BELÉM, ONDE ENCONTRARAM JESUS E O ADORARAM, OFERECENDO-LHE PRESENTES: OURO, INCENSO E MIRRA. DEPOIS, PARTIRAM DE VOLTA PARA SUA TERRA.